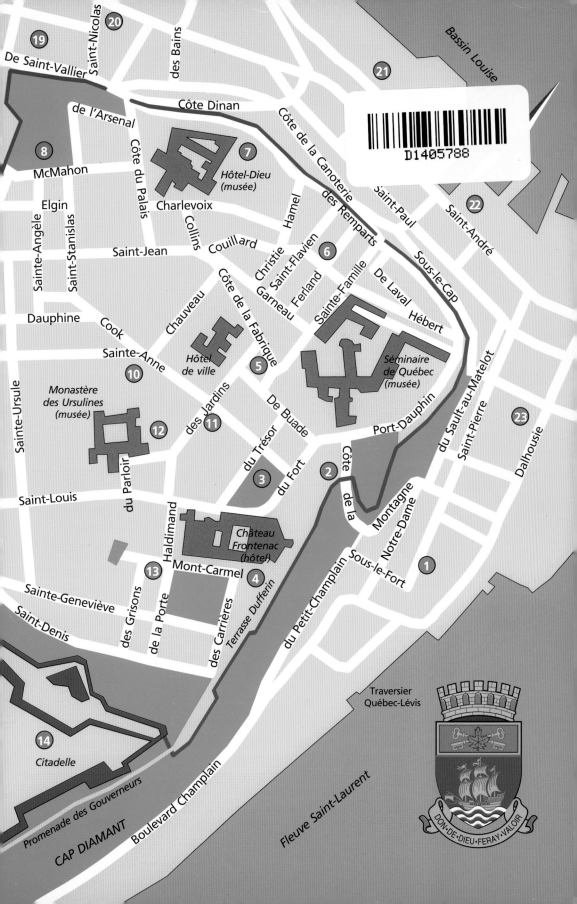

Québec
trésor d'Amérique

« Rien ne m'a paru si beau et si magnifique que la situation de la ville de Québec qui ne pourrait être mieux postée quand elle devrait devenir un jour la capitale d'un grand empire. »
Louis de Buade, comte de Frontenac, 1672

Fondée en 1608 sur la rive nord du majestueux fleuve Saint-Laurent, Québec est la plus ancienne ville du Canada. ✿ La ville couvre le haut et le bas des longues falaises issues de l'imposant cap Diamant. ✿ Sur le promontoire couronné par la Citadelle, des murs fortifiés encerclent la ville. ✿ En contrebas, la Place-Royale est le cœur de l'implantation de la civilisation française en Amérique. ✿ Les Québécois ont le sourire facile et l'accueil chaleureux en toutes saisons. ✿ Le charme romantique de la ville invite à la promenade dans ses rues étroites où les vieilles pierres racontent l'histoire de ce trésor d'Amérique.

Près du Château Frontenac, un monument de bronze, de granit et de verre commémore la proclamation du Vieux-Québec à titre de « joyau du patrimoine mondial » par l'UNESCO en 1985.

Les Premières Nations

À 15 kilomètres de Québec, à Wendake, le Village-des-Hurons, le site Onhoüa Chetek8e, qui signifie d'hier à aujourd'hui, met en valeur les habitations et les traditions des Hurons-Wendats établis à cet endroit depuis 1697. Artisanat, cuisine, chants et danses y racontent leur culture et leur histoire.

Site traditionnel huron *Onhoüa Chetek8e*

Une maison longue iroquoienne a été reconstituée au lieu historique national Cartier-Brébeuf. Le bâtiment de 18 mètres de long peut loger une cinquantaine de personnes. Sa structure est faite de perches de conifères recouvertes d'écorce de pruche. Plusieurs maisons étaient regroupées et parfois entourées d'une palissade. Les Amérindiens vivaient d'agriculture, de chasse et de pêche. À gauche, *La halte dans la forêt*, un bronze de l'artiste Louis-Philippe Hébert créé en 1889 pour orner l'entrée principale de l'Hôtel du Parlement. Cette sculpture se veut un hommage aux Premières Nations du Québec.

Bijoux, mocassins, paniers, poteries, raquettes à neige et bien d'autres articles témoignent de la vitalité des traditions artisanales amérindiennes.

Reproductions d'objets utilitaires exposés au lieu historique national Cartier-Brébeuf

Jacques Cartier

Né en 1491 à Saint-Malo en France, Jacques Cartier est un navigateur d'expérience. Il a pour mission de trouver de l'or, des richesses et un passage vers l'Asie. Il fera trois expéditions au Canada en 1534, 1535 et 1541. Avec son équipage, il est le premier Européen à remonter le fleuve Saint-Laurent et à débarquer à Québec, un village iroquoien nommé alors Stadaconé.

Un vitrail du Château Frontenac évoque l'un de ses navires.

Une croix, élevée en 1889 au lieu historique national Cartier-Brébeuf, commémore le séjour de Cartier et l'établissement des Jésuites en 1625. En 1535, l'expédition de Cartier hiverne sur cette rive de la rivière Saint-Charles et dresse une croix arborant les armoiries de François 1er, roi de France. Plusieurs de ses 112 hommes d'équipage sont atteints du scorbut. Après la mort de 25 d'entre eux, Cartier promet de se rendre en pèlerinage à Rocamadour s'il revoit la France. Une quarantaine d'hommes de plus succombent. Les autres malades guérissent en une semaine grâce à une décoction de cèdre blanc apprise des Iroquoiens.

Antonio Masselotte, *Vœu à Notre-Dame de Rocamadour*, 1921, église Saint-François d'Assise, Québec

Samuel de Champlain

Samuel de Champlain, originaire de Brouage en France, convainc Henri IV de créer une colonie en Nouvelle-France et fonde Québec en 1608.

Détail de *La Fresque des Québécois*

L'Abitation de Quebecq *est le premier bâtiment que Champlain construit avec ses hommes à son arrivée à Québec.* (Dessin, ANQ à Québec) *Champlain établit un poste de traite de fourrures principalement pour les peaux de castor. Le rôle déterminant du castor dans le développement économique du pays justifie sa reconnaissance officielle d'animal emblématique canadien.* Girouette du moulin à vent construit en 1709 pour les Augustines de l'Hôpital Général de Québec

Type de canon en fer utilisé par la marine française au XVIIIe siècle. Dès l'époque de Champlain, les Français installent des canons sur une pointe rocheuse au bord du fleuve. En 1691, le gouverneur Frontenac fait bâtir la Batterie Royale sur cette même pointe pour protéger Québec menacée d'une invasion anglaise.

Les Fêtes de la Nouvelle-France

En août, durant quelques jours, Québec vit au rythme des Fêtes de la Nouvelle-France. Ces fêtes célèbrent la naissance de l'Amérique française et les épisodes de la vie des colons de 1608 à 1760. Les traditions, les métiers et la musique de cette époque revivent alors.

De nombreux citoyens et visiteurs se costument en personnages d'autrefois et participent à la fête. Comédiens, musiciens et danseurs animent le Vieux-Québec au grand plaisir de tous. À gauche, une représentation du régiment de la Compagnie Franche de la Marine. En bas, les marchands dans leurs échoppes vantent leurs produits sur la place de Paris.

La Place-Royale

La construction de l'église Notre-Dame-des-Victoires débute en 1687 sur l'emplacement de l'ancienne habitation de Champlain. Son nom commémore deux victoires : celles contre les armées anglaises de Phipps en 1690 et de Walker en 1711 qui échouèrent dans leurs tentatives de s'emparer de Québec.

Un buste du roi Louis XIV orne déjà la Place-Royale en 1686. Sur cette place, la colonie française s'implante et se développe autour de l'habitation construite par Champlain. C'est une des plus anciennes places commerciales en Amérique. Le buste actuel du roi, installé en 1948, est une copie d'un marbre du Bernin au palais de Versailles.

La maquette du Brézé est suspendue dans l'église. Le marquis de Tracy et quatre compagnies du régiment de Carignan-Salières vinrent à Québec en 1664 à bord de ce bateau. Couronné par une statue de Notre-Dame-des-Victoires, le maître-autel de 1878 en bois peint et doré est l'œuvre du sculpteur David Ouellet. Son curieux motif de tours et de remparts crénelés est des plus inusités.

RUE DES PAINS-BÉNITS
COMMÉMORANT SAINTE-GENEVIÈVE CONJURANT LA FAMINE

La rue des Pains-Bénits longe la chapelle latérale dédiée à sainte Geneviève, patronne de Paris. Chaque année, on bénit et distribue des «petits pains de Sainte-Geneviève» qui, selon la tradition, éloignent la famine.

En août, les Fêtes de la Nouvelle-France égayent la place.
La maison Hazeur abrite le Centre d'interprétation de la
Place-Royale. Le centre valorise l'importance de l'histoire
commerciale du quartier. À droite, un en-tête de facture
d'épiciers établis dans le quartier en 1885.

La petite rue Cul-de-Sac contourne
l'arrière de la maison Chevalier.
Une famille amérindienne,
œuvre de l'artiste Wobanakiak,
nous y accueille.

La maison Chevalier est bâtie en
1752 pour l'armateur et marchand
Jean-Baptiste Chevalier. Plus tard,
deux autres maisons sont annexées
de chaque côté. Le Musée de la
civilisation y présente une collection
de meubles anciens du Québec.

La rue du Petit-Champlain

La verrerie La Mailloche est un Économusée où des maîtres-verriers font la démonstration de l'art traditionnel du soufflage de verre à la canne.

Fréquenté dès 1660, l'escalier Casse-Cou relie la rue du Petit-Champlain à la côte de la Montagne. Son nom vient du fait qu'au XIXᵉ siècle, maintes fois rabouté, il était devenu un véritable casse-cou.

Située au pied de l'escalier Casse-Cou, la maison Louis-Jolliet est construite en 1683 pour le célèbre explorateur. Dix ans plus tôt, partis à la recherche d'un passage vers la mer de Chine, Louis Jolliet et le père Jacques Marquette découvrent le Mississipi. Depuis 1879, à partir du rez-de-chaussée de la maison, un funiculaire permet de monter à la terrasse Dufferin.

Le petit parc de la rue du Petit-Champlain est dédié à Félix Leclerc (1914-1988). Grand troubadour et écrivain, son œuvre révèle toute la profondeur de son âme de poète inspirée par l'île d'Orléans. Accrochée à la falaise, Le Souffle de l'Île, une sculpture d'Hélène Rochette.

À partir de 1650, l'étroite rue du Petit-Champlain est
déjà achalandée par les marins, les débardeurs et les marchands. Aujourd'hui, placée sous le signe de la créativité, la rue
piétonnière est bordée de boutiques d'artistes et d'artisans. La
Maison de la Chanson présente des artistes francophones québécois
et internationaux. Que ce soit en été, fleurie de toute part et joyeuse
de musiciens et d'amuseurs publics, ou bien en hiver, féérique de mille
lumières, il fait toujours bon flâner dans cette rue.

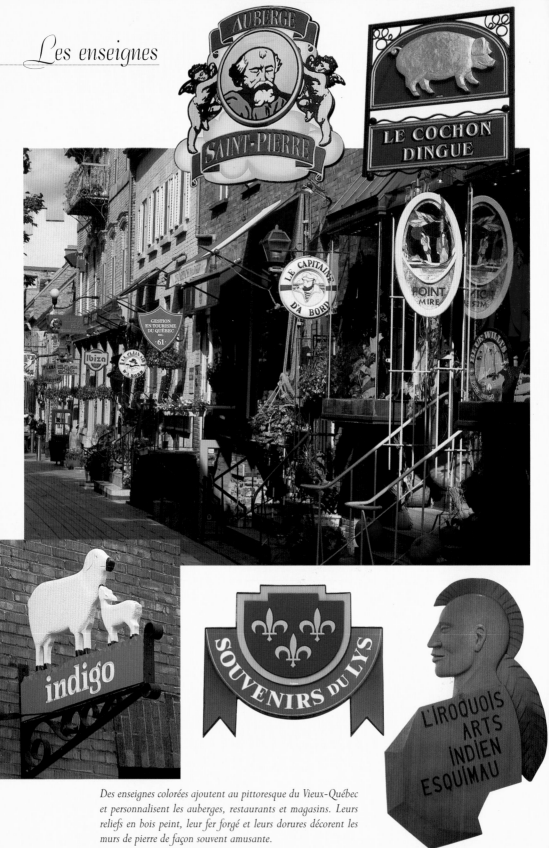

Des enseignes colorées ajoutent au pittoresque du Vieux-Québec et personnalisent les auberges, restaurants et magasins. Leurs reliefs en bois peint, leur fer forgé et leurs dorures décorent les murs de pierre de façon souvent amusante.

La Fresque des Québécois *est peinte en 1999*
sur le mur latéral d'une maison de la rue Notre-Dame,
au pied de la côte de la Montagne. Ce monumental
trompe-l'œil rend hommage à de grandes personnalités
de l'histoire de Québec et à ses citoyens. Son décor
représente différents styles d'architecture de la ville.
En détail : des garçons jouent au hockey,
sport national des Québécois.

Conception et réalisation : *Cité de la Création*
Coproduction : *Commission de la capitale nationale du Québec (CCNQ)*
et Société de développement des entreprises culturelles du Québec (SODEC)

La côte de la Montagne

JE SVIS VN CHIEN QVI RONGE LO

EN LE RONGEANT JE PREND MON REPOS
VN TEMS VIENDRA QVI N'EST PAS VENV
QVE JE MORDERAY QVI M'AVRA MORDV

Au sommet de la côte, l'imposant édifice du bureau de poste est inauguré en 1873 puis largement agrandi et décoré dans le style Beaux-Arts de 1913 à 1919. Au-dessus de l'entrée principale du bureau de poste se trouve la curieuse pierre du Chien d'or. À l'époque de la Nouvelle-France, elle ornait la maison Philibert qui occupait le même site. On peut y lire ces lignes énigmatiques : «Je suis un chien qui ronge l'os En le rongeant je prends mon repos Un temps viendra qui n'est pas venu Que je mordrai qui m'aura mordu».

Depuis son tracé en 1623, l'abrupte côte de la Montagne défie les piétons. Des portes et leurs corps de garde contrôlaient jadis la circulation dans la partie haute de la ville entourée de murs fortifiés. En haut de la côte, l'austère porte Prescott, construite en 1797, est démolie en 1871 lorsque la garnison britannique quitte Québec. Cette porte frappe l'imagination de l'écrivain américain Henry David Thoreau lors de son voyage à Québec en 1850. Il écrit : «Je me frottai les yeux pour être bien sûr que je vivais au dix-neuvième siècle [...] Tout cela rappelait autant le Moyen Âge que les romans de Scott. » La passerelle piétonnière Prescott, construite en 1983 sur l'emplacement de l'ancienne porte, conduit au parc Montmorency.

Photo collection Patrick Altman

Statue de Marie Rollet enseignant «les vérités de la foi» à ses deux enfants et à un petit Amérindien. Elle est assise au pied du monument dédié à son époux Louis Hébert, apothicaire et premier cultivateur à s'établir en Nouvelle-France en 1617. Ce bronze d'Alfred Laliberté, dévoilé en 1918, agrémente le parc Montmorency, lieu même de la terre de la famille Hébert.

Les saisons du parc Montmorency

Le parc Montmorency s'étend entre les remparts et le Séminaire. Aménagé en 1898, son nom rend hommage au premier évêque de Québec, François de Laval de la famille des Montmorency. Ce parc est fréquenté pour sa quiétude et sa vue panoramique sur le secteur de la Place-Royale, le fleuve Saint-Laurent et la rive sud.

Depuis 1711, des canons sont disposés sur la Grande Batterie, une position stratégique pour la défense de la ville. Aujourd'hui, les noirs canons anglais du XIXᵉ siècle contrastent avec l'éclat des couleurs automnales.

Inauguré en 1920, le monument de George-Étienne Cartier, l'un des Pères de la Confédération, affronte la bourrasque hivernale. Il rappelle que le parc fut le site de l'édifice du Parlement du Bas-Canada, du Canada-Uni et de la province de Québec de 1792 à 1883.

La place d'Armes

Dressée en 1898, la statue de Samuel de Champlain est une œuvre du sculpteur parisien Paul Chevré. Le monument repose sur l'emplacement de l'ancien fort Saint-Louis où Champlain décéda le jour de Noël 1635. Sur le socle, un ange à la trompette proclame la gloire du fondateur de Québec.

La place d'Armes, où paradaient les militaires de la Nouvelle-France, est une halte appréciée des promeneurs. Le monument de la Foi, de style gothique, rend hommage aux Récollets, premiers missionnaires de la colonie. Jusqu'en 1796, leur couvent s'ouvrait sur la place. L'édifice blanc fut construit en 1804 pour loger l'hôtel Union. Aujourd'hui, il abrite un centre d'information touristique. À sa droite, le Musée du Fort présente un spectacle sur les hauts faits de l'histoire militaire de Québec.

Tracée vers 1689, l'étroite rue du Trésor menait aux bureaux de la Trésorerie de la Marine à l'époque du régime français. Depuis la fin des années 1950, cette galerie d'art en plein air offre aux passants des peintures, gravures, aquarelles et dessins illustrant des vues pittoresques du Vieux-Québec. Au coin de la rue, le Musée de cire présente l'histoire des célébrités d'hier et d'aujourd'hui.

Toits et lucarnes

« Vue des hauteurs, Québec est une ville de toits. Les toits affaissés et patinés par le temps semblent choir sur les toits neufs et luisants, tandis qu'aux alentours les arbres colorés par l'automne se bercent avec la même grâce au-dessus des toits neufs ou vieux. »
Esther Brann, 1930

Les maisons de la Nouvelle-France sont coiffées de toits à deux versants recouverts de planches ou de bardeaux. Plus tard, les toits adoptent la tôle posée en carrés dite « à la canadienne » ou avec des baguettes en parallèle. Des lucarnes permettent de rendre habitable l'étage sous les combles. Les lucarnes témoignent du savoir-faire des ferblantiers-couvreurs. En hiver, piétons, gare aux chutes de neige et de glaçons !

Le Château Frontenac

Le Château Frontenac, l'un des plus prestigieux hôtels du continent et l'un des plus photographiés au monde, est l'incontournable symbole de Québec. Propriété de la compagnie ferroviaire Canadien Pacifique, il est dessiné par l'architecte Bruce Price et inauguré en 1893. Ses hauts toits de cuivre, ses innombrables lucarnes et ses tourelles sont inspirés des châteaux de la Loire en France. Parmi ses agrandissements successifs, la tour centrale élevée en 1924 est l'œuvre des frères Edward et William S. Maxwell. Devant l'hôtel s'étend la terrasse Dufferin, la promenade idéale pour admirer la ville, le fleuve et les environs. Au premier plan, le célèbre paquebot Queen Elizabeth.

Le château emprunte son nom à Louis de Buade, comte de Frontenac, gouverneur de la Nouvelle-France de 1672 à 1682 et de 1689 à 1698. Nichée depuis 1890 dans la façade de l'Hôtel du Parlement, sa statue de bronze pointe un canon. « Je vous répondrai par la bouche de mes canons » avait-il rétorqué à l'amiral anglais Phipps qui voulait s'emparer de Québec en 1690.

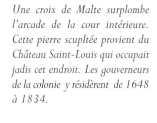

Une croix de Malte surplombe l'arcade de la cour intérieure. Cette pierre scupltée provient du Château Saint-Louis qui occupait jadis cet endroit. Les gouverneurs de la colonie y résidèrent de 1648 à 1834.

Depuis le premier carnaval d'hiver de 1894, la glissoire du château sur la terrasse Dufferin amuse petits et grands.

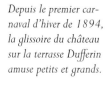

Le lion à l'écu et les armoiries du gouverneur Frontenac, deux des nombreux reliefs qui ponctuent les murs de l'hôtel.

La nuit, le château revêt sa robe de lumière. Plus bas, les maisons de la côte de la Montagne s'alignent en escalier.

Le grand escalier d'honneur mène du hall au Palm Room. Avec son plafond peint de motifs végétaux, cet espace constitue la solennelle antichambre de la salle de bal où ont festoyé bien des célébrités.

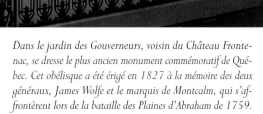

Un portrait de Mgr François de Laval, évêque de Québec au temps de Frontenac, décore l'escalier au sud du hall principal.

Dans le jardin des Gouverneurs, voisin du Château Frontenac, se dresse le plus ancien monument commémoratif de Québec. Cet obélisque a été érigé en 1827 à la mémoire des deux généraux, James Wolfe et le marquis de Montcalm, qui s'affrontèrent lors de la bataille des Plaines d'Abraham de 1759.

Cette figure à l'air réjoui est un détail des appliques en bronze du hall.

Ce bouton de porte arborant un F couronné a été dessiné pour le château en 1892.

Les escaliers

De par sa géographie accidentée, Québec dispose de 29 escaliers extérieurs publics, le plus grand nombre pour une ville d'Amérique. En haut, l'escalier du Cap-Blanc est le plus long avec ses 398 marches qui relient les plaines d'Abraham au quartier du Cap-Blanc au bord du fleuve Saint-Laurent. En haut, à gauche, l'escalier Frontenac conduit de la côte de la Montagne au Château Frontenac. À gauche, la promenade des Gouverneurs, inaugurée en 1960, s'accroche au cap Diamant entre la terrasse Dufferin et les plaines d'Abraham en longeant les murs de la Citadelle. Elle offre un panorama incomparable sur la rive sud et le fleuve, cette grande voie maritime. Québec est une escale recherchée par les navires de croisières océaniques. En bas, l'escalier Lavigueur relie le faubourg Saint-Jean-Baptiste et le quartier Saint-Roch.

L'hôtel de ville

Sur la place de l'Hôtel-de-Ville, un monument honore Mgr Elzéar-Alexandre Taschereau, archevêque de Québec, devenu en 1886 le premier cardinal canadien. Le drapeau de la ville de Québec est «d'azur au vaisseau voguant à pleines voiles d'or, à la bordure crénelée d'argent». Le vaisseau représente le Don-de-Dieu du fondateur, Samuel de Champlain. La bordure crénelée rappelle les fortifications. La devise de la ville est Don de Dieu feray valoir.

L'hôtel de ville est inauguré en 1896, selon les plans de l'architecte Georges-Émile Tanguay. L'horloge du beffroi sonne les heures. Dans les anciennes casernes de pompiers au rez-de-chaussée, le Centre d'interprétation de la vie urbaine présente des expositions multimédias sur le développement de la ville et offre des circuits patrimoniaux inédits. Une immense maquette de la ville et de sa région renseigne le visiteur sur quatre siècles d'urbanisation.

La basilique-cathédrale
Notre-Dame de Québec

Anonyme, Mgr de Laval au chevet des malades, Séminaire de Québec

À son retour en 1633, Champlain fait construire une église votive dédiée à la Vierge, à la suite de la récupération par la France de la colonie prise par les Anglais en 1629. La basilique catholique romaine actuelle est le résultat d'une succession de reconstructions et de transformations d'églises sur l'emplacement même de celle de Champlain. Elle reçoit les titres de cathédrale en 1674 et de basilique en 1874. Dessinée par Thomas Baillargé, sa monumentale façade néoclassique est érigée en 1843. Dévastée par le feu en 1922, elle est reconstruite telle qu'elle se présentait avant l'incendie.

Le chœur est reconstitué selon le décor élaboré par François Baillairgé à la fin du XVIIIe siècle. Le majestueux baldaquin surplombe le maître-autel inspiré de la façade de la basilique Saint-Pierre de Rome. Les statues dorées des saints Pierre, Joseph, Louis, Flavien, sainte Félicité et saint Paul ceinturent le chœur.

François de Laval est nommé en 1674 le premier évêque de la Nouvelle-France. Il exerce son ministère avec zèle, générosité et sollicitude ; son diocèse s'étend alors du Labrador au golfe du Mexique. Dans la basilique, son tombeau est orné d'un gisant de bronze, réalisé en 1993. Mgr de Laval a été béatifié en 1980 par le pape Jean-Paul II.

Le quartier latin

L'ensemble Séminaire-Université, auquel le quartier doit son qualificatif
de latin, regroupe plusieurs bâtiments construits et modifiés à diverses
périodes. Le Séminaire, fondé en 1663 par Mgr de Laval pour former des
prêtres, devient aussi en 1765 un établissement d'enseignement pour
garçons. L'Université Laval, fondée en 1852, est la première université
française en Amérique. Le grand pavillon central est bâti en 1855
d'après les plans de Charles Baillairgé. Son toit mansardé et ses trois
lanternes ajoutées en 1875 sont de Joseph-Ferdinand Peachy.
Aujourd'hui, l'ensemble abrite entre autres un musée, la faculté
d'architecture de l'Université Laval et une école secondaire.

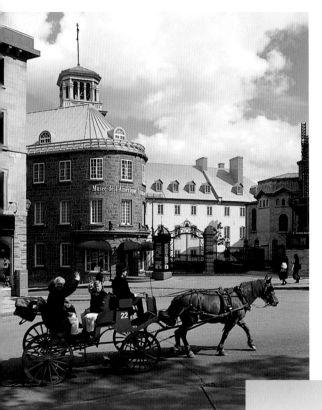

Le Musée de l'Amérique
française se consacre à
l'histoire de l'implanta-
tion de la culture fran-
çaise en Amérique du
Nord. Les collections
riches et diversifiées du
Séminaire de Québec
témoignent d'un
précieux héritage
ouvert sur le monde.

François-Xavier Garneau,
homme de lettres, rédige en
1845 la première Histoire
du Canada. Il décède en
1866 dans sa nouvelle de-
meure de la rue Saint-
Flavien. L'intérieur de la
maison F.-X. Garneau construite en 1862 a conservé
son atmosphère victorienne
qui séduit les visiteurs.

Photo Paul Laliberté, Université Laval,
pour les Éditions Continuité

Au coin des rues Sainte-Famille et Hébert,
la maison Touchet est construite au milieu du
XVIIIe siècle pour le maître tonnelier Simon
Touchet. Avec ses lucarnes, ses fenêtres à petits
carreaux, ses murs épais et sa large cheminée,
elle a conservé son caractère architectural
de la Nouvelle-France.

*Deux charmantes maisons à toit mansardé,
rue Saint-Flavien. «Dans les rues de Québec,
par temps gris par temps sec, j'aime aller nez au
vent, cœur joyeux en rêvant» a chanté Charles
Trenet, célèbre poète et chanteur français.*

Le quartier latin n'a guère changé depuis le XIXe siècle. La rue Couillard traverse l'ancien fief du seigneur Guillaume Couillard, décédé en 1663, premier laboureur et gendre de Louis Hébert.

Au bout de la rue, la Maison Béthanie construite en 1878 pour les Sœurs du Bon-Pasteur afin d'y accueillir les filles mères de l'époque. Le Musée Bon-Pasteur valorise la vie de Marie Fitzback, fondatrice de la communauté en 1850, ainsi que les engagements sociaux et missionnaires des religieuses.

Photo Louise Leblanc, salle de classe, Musée Bon-Pasteur

Le Vieux-Québec se caractérise par ses rues en pente plus ou moins abrupte et ses intersections souvent à angle aigu. La forme des maisons s'y est adaptée comme ici à la jonction des paisibles rues Hébert et De Laval.

Au coin des rues Couillard et Saint-Flavien, la modeste maison Beaudet construite en 1727.

L'hôpital Hôtel-Dieu de Québec est ouvert en 1639 par trois Augustines Hospitalières venues de Dieppe en France grâce à l'appui de Marie de Vignerot, duchesse d'Aiguillon, nièce du cardinal de Richelieu. Le monastère et l'hôpital sont reconstruits suite à un incendie en 1755. L'église est érigée en 1800 et son portail néo-classique est ajouté en 1839 par Thomas Baillairgé. En bas, le vieux cloître de 1755 témoigne de la continuité des œuvres de la communauté.

Le Musée des Augustines présente une surprenante collection d'objets relatifs à l'histoire de la communauté et des soins hospitaliers. Ici, symbole pharmaceutique reconnu, un mortier et son pilon apportés de France en 1639.

Communément appelées « clefs de sœurs », les clefs de loquets à la cordelière ont été utilisées par les Augustines pendant plus de trois siècles.

Catherine de Saint-Augustin arrive à Québec en 1648. Après une vingtaine d'années de dévouement auprès des malades, elle décède à 36 ans. Son héritage spirituel la fait déclarer Bienheureuse en 1989.

Hugues Pommier, Catherine de Saint-Augustin, Québec, 1668

« Ce qui fait le charme de Québec, c'est la variété, c'est l'imprévu de ses aspects ; à chaque pas que vous faites, la scène change, un nouveau panorama se déroule à vos yeux, aussi ravissant que le précédent, mais d'un charme différent. »

Wilfrid Laurier, homme politique, 1889

La rue des Remparts

Sur le bord de la falaise, la rue des Remparts côtoie les murs fortifiés. Son nom lui vient de cette muraille complétée en 1811. Les remparts furent abaissés d'environ trois mètres en 1878 pour former un long belvédère aux points de vue exceptionnels sur la Basse-Ville et les environs. Habiter cette rue est une marque de prestige pour les marchands du XIXᵉ siècle. À droite, la maison Montcalm bâtie en 1724, fut la résidence du marquis de Montcalm, général des troupes françaises lors de la bataille des plaines d'Abraham en 1759.

Au soleil levant, les fenêtres reflètent les couleurs du ciel en attendant que les pierres de taille des maisons se réchauffent.

Le parc de l'Artillerie

Le lieu historique national du Parc-de-l'Artillerie est un ensemble de fortifications et de bâtiments militaires réalisé à partir de 1690. La redoute Dauphine est complétée en 1749 par Chaussegros de Léry, ingénieur en chef de la colonie. Consolidée par des contreforts massifs, la blanche redoute abrite des soldats, de la poudre et des armes jusqu'en 1871.

En 1818, une ancienne boulangerie est transformée en logis des officiers. Le décor intérieur recrée le milieu de vie d'un capitaine et de sa famille vers 1830. Des guides en costumes d'époque animent le lieu. Ici la cérémonie du thé et la cuisson du pain.

La construction des murs de pierre de l'entrepôt d'affûts de canons débute en 1831. Pour les protéger des intempéries, les affûts en bois étaient remisés en attendant de supporter des canons. Près de 200 canons montent encore la garde sur les fortifications. Aujourd'hui, les Dames de Soie, Écono-musée de la poupée, occupe la section sud de l'entrepôt. D'élégantes poupées de porcelaine naissent sous les doigts agiles des artisanes œuvrant sur place. Parallèlement à l'entrepôt se dresse la fonderie de l'Arsenal (1901) où les visiteurs sont accueillis. Elle abrite une sur-prenante maquette de la ville de Québec réalisée par Jean-Baptiste Duberger et John By en 1808.

Les tours des portes Saint-Louis, Kent et Saint-Jean se succèdent sur les remparts. À gauche, le clocher surmonte la chapelle des Jésuites construite en 1818. Faire le tour de la ville en marchant sur les 4,5 km de remparts offre des perspectives exceptionnelles sur Québec et les environs.

La place d'Youville
et la rue Saint-Jean

La rue commerciale Saint-Jean traverse le faubourg Saint-Jean-Baptiste et la place d'Youville, passe sous la porte et se prolonge jusqu'à la place des Livernois. La place d'Youville est depuis longtemps un lieu de rencontre populaire, une halte dans la traversée de la ville. En été, elle accueille la foule pour des festivités. En hiver, la musique de la patinoire entraîne petits et grands près des vieux murs. Le profil architectural de la porte Saint-Jean, construite en 1939, s'intègre dans la continuité des remparts interrompue en 1898 par la démolition de l'ancienne porte.

La place des Livernois est au carrefour de la rue Saint-Jean et d'étroites rues du quartier latin. D'élégance néoclassique, la maison en pointe arrondie abrite la dynastie des photographes Livernois de 1854 à 1974.

L'étonnante façade de style Second Empire du Capitole annonce sa prestigieuse salle de spectacles inaugurée en 1903. Elle a accueilli, entre autres vedettes, Sarah Bernhardt, Édith Piaf et Maurice Chevalier. Les détails dessinés par l'architecte Walter S. Painter attirent le regard des passants.

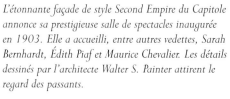

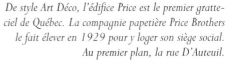

De style Art Déco, l'édifice Price est le premier gratte-ciel de Québec. La compagnie papetière Price Brothers le fait élever en 1929 pour y loger son siège social. Au premier plan, la rue D'Auteuil.

La cathédrale anglicane Holy Trinity, inaugurée en 1804, est inspirée de l'église St. Martin-in-the-Fields de Londres. À l'intérieur, d'innombrables caissons de bois peints forment la voûte en berceau. Les bancs à portes surprennent les visiteurs.

L'église St. Andrew, érigée en 1810 par les Écossais de Québec, est la plus vieille église presbytérienne au Canada.

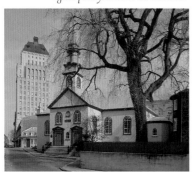

Les Ursulines

Anonyme, *Marie de l'Incarnation*, d'après Bottoni, début du XXᵉ siècle

Première école pour jeunes filles en Amérique, le monastère des Ursulines comprend plusieurs bâtiments construits, reconstruits et rénovés au cours des siècles. À gauche, l'aile des Parloirs reconstruite en 1873.

La collection riche et diversifiée du Musée des Ursulines relate la vie et l'œuvre d'éducation de cette communauté établie à Québec par Marie de l'Incarnation en 1639.

Angelot, circa 1700

La porte cochère, qui traverse l'aile Sainte-Angèle bâtie en 1836, a accueilli des générations d'étudiantes.

Coincée entre deux bâtiments, cette maison de 1847 est reconnue pour avoir la plus petite façade de pierre en Amérique.

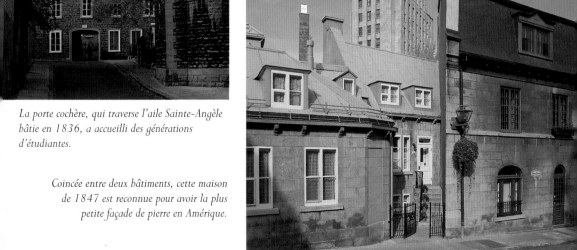

De porte en porte

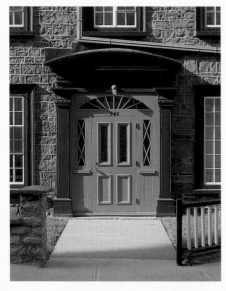

Les portes et leurs encadrements résument magnifiquement l'ornementation architecturale. Leur décoration compense l'austérité des façades des maisons du XIXᵉ siècle de la Haute-Ville.

« Marcher dans Québec, c'est tourner les pages
d'un livre plein d'images du passé,
où la vue change à chaque coin. »
Charles Haight Farnham, 1882

Longeant les glacis de la Citadelle, l'avenue Saint-Denis
est la rue la plus élevée de Québec. Le bout de l'avenue
s'ouvre telle une fenêtre sur le fleuve Saint-Laurent.

En 1663, un moulin à vent s'élève sur une butte
rocheuse. Trente ans plus tard, les militaires français l'entourent d'une muraille pour former un
ouvrage défensif appelé « cavalier ». Longtemps
demeuré un lieu privé, le petit parc historique
du Cavalier-du-Moulin est inauguré en 1962.
Les clochers de l'église unie Chalmers-Wesley et du
sanctuaire Notre-Dame-du-Sacré-Cœur se cô-
toient dans l'azur.

L'avenue Sainte-Geneviève avoisine le jardin des Gouverneurs. Ancienne-
ment aménagé en jardin réservé aux gouverneurs de la colonie, ce parc fermé
de murets est ouvert au public depuis 1838. La maison en brique oran-
gée loge le consulat américain. Sur le fleuve, un traversier revient de Lévis.

Déjà bien singularisées selon l'époque où elles ont été construites, les fenêtres fleuries des maisons de la rue Sainte-Ursule rivalisent de couleurs et de beauté.

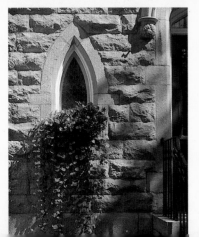

La rue Saint-Louis

Tracée vers 1630, la rue Saint-Louis a été nommée en l'honneur du roi de France Louis XIII. Cette voie très fréquentée conduit de la porte Saint-Louis à la place d'Armes. Depuis le XIXe siècle, un tour de calèche permet de découvrir le Vieux-Québec de façon romantique.

La petite maison Jacquet est la plus vieille demeure de Québec. Elle fut construite en 1674 pour le maître couvreur François Jacquet dit Langevin. Elle est un bel exemple de l'architecture domestique de la fin du XVIIe siècle. Philippe Aubert de Gaspé, le célèbre auteur du roman Les Anciens Canadiens, y résida au XIXe siècle.

Sur la rue D'Auteuil, de belles maisons en rangée font face au parc de l'Esplanade où les militaires britanniques paradaient autrefois.

«À Québec, le premier luxe est d'avoir chevaux et voiture. Il y a tant de côtes que l'on se lasse d'aller à pied toute sa vie ; et puis, les promenades hors de la ville sont si belles ! »

Hector Fabre, journaliste, 1877

La porte Saint-Louis

Une première porte Saint-Louis est construite en 1694. La porte actuelle, dessinée en 1878 par l'architecte William H. Lynn, est l'une des principales voies d'accès au Vieux-Québec. L'édifice du Cercle de la Garnison avoisine la porte avec laquelle son architecture s'harmonise.

La poudrière de l'Esplanade, construite en 1815, abrite le Centre d'interprétation des Fortifications-de-Québec.

« La promenade le long des remparts au-dessus de l'Esplanade est merveilleuse, rehaussée de vastes ouvertures sur le paysage ; l'œil se pose avec un singulier délice sur le petit groupe de collines, portail ouvert sur la nature sauvage ».

James Pattison Cockburn, aquarelliste, 1831

La Citadelle

Photo Pierre Lahoud

La Citadelle est construite sur le cap Diamant dans les années 1820 d'après les plans du colonel E.W. Durnford. Le plan étoilé de la forteresse se conforme à des principes d'ouvrages de défense élaborés par le Marquis de Vauban sous Louis XIV. La porte Dalhousie, l'unique entrée au cœur de l'enceinte, mène à une vingtaine de bâtiments et à un musée. La Citadelle est la résidence du Royal 22e Régiment dont la mascotte est le bouc Batisse.

En été, la Relève de la Garde se déroule en matinée au son de la musique régimentaire devant les visiteurs. La Retraite, une autre cérémonie traditionnelle, rend hommage au drapeau en fin de journée.

Tous les quatre ans, l'événement «À l'assaut de la Capitale!» se déploie aux abords de la Citadelle. Plus d'un millier d'Américains vêtus et armés comme des soldats du XVIIIe siècle simulent des batailles rangées de l'époque.

Un fier coq girouette virevolte sur le toit de la chapelle de la citadelle.

Le Carnaval de Québec

Le Carnaval de Québec est une chaleureuse invitation à des réjouissances hivernales dans la capitale de la neige. Bonhomme, un gros bonhomme de neige jovial, accompagné de ses amis rigolos les Knucks, anime le plus grand carnaval d'hiver au monde.

Depuis 1954, participants et spectateurs se divertissent en février à l'occasion de nombreuses activités carnavalesques : les féériques défilés de nuit avec fanfares, animation bouffonne et chars allégoriques ; le vivifiant bain de neige même à moins 30° Celcius ; la course de traîneaux à chiens ; l'Internationale de sculpture sur neige où des artistes de nombreux pays rivalisent de talent ; la périlleuse course en canot à travers les glaces du fleuve ; la drôle de course de tacots et une foule d'autres joyeux divertissements.

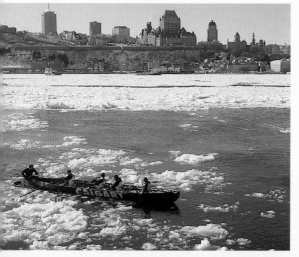

L'Hôtel du Parlement

La ville de Québec est la capitale du Québec. L'Hôtel du Parlement est érigé entre 1877 et 1886 d'après les plans d'Eugène-Étienne Taché. De style Second Empire, l'édifice est formé de quatre ailes disposées en carré. Sa façade arbore vingt-deux statues en bronze de femmes et d'hommes qui ont marqué l'histoire du pays. La devise du Québec Je me souviens est sculptée dans la pierre au-dessus du portail. L'Hôtel du Parlement est situé sur une colline paysagée et il avoisine d'autres édifices gouvernementaux.

Le fleurdelisé, drapeau officiel du Québec depuis 1948, flotte au sommet de la tour centrale.

L'allégorie La Poésie et l'Histoire *couronne un fronton cintré en haut de la façade. La statue* Le pêcheur à la nigog *se dresse sur* La fontaine de l'Amérindien *devant l'entrée principale de l'Hôtel du Parlement. Ces deux sculptures et d'autres bronzes de l'édifice sont l'œuvre de Louis-Philippe Hébert.*

Photo Claude Bureau & associées inc.

À l'intérieur, élus et visiteurs se croisent dans le grand escalier d'honneur.

La Salle de l'Assemblée nationale réunit les députés élus pour les séances parlementaires. De part et d'autre de la salle, les députés du parti au pouvoir font face à ceux de l'opposition. Les galeries latérales reçoivent les invités qui assistent aux séances. L'ornementation solennelle de la salle est l'œuvre de l'architecte et sculpteur F.-X. Berlinguet. Au mur, un grand tableau du peintre Charles Huot représente Le débat des langues en 1793.

Le Festival d'été de Québec

Depuis 1968, le Festival d'été de Québec est une fête artistique colorée qui envahit la ville pendant onze jours en juillet. De renommée internationale, le festival célèbre la chanson francophone et invite des musiciens, chanteurs et danseurs des quatre coins du monde. Plus de 800 artistes d'une vingtaine de pays présentent des centaines de spectacles.

Durant le festival, saltimbanques, acrobates, magiciens et clowns s'approprient les rues et apportent fantaisie et magie à tous les cœurs d'enfants.

La Grande Allée

La Grande Allée est bordée d'ormes généreux de leur couvert derrière lesquels s'alignent de beaux bâtiments du XIXᵉ siècle.

En toute saison, cette artère est fréquentée particulièrement pour ses cafés et ses restaurants avec terrasses et pour ses hôtels de diverses catégories. Le soir, les bars et les discothèques agrémentent la vie nocturne.

Le large édifice du Manège
militaire Voltigeurs de Québec
est occupé presque entièrement
par une vaste salle d'exercices
et de cérémonies. Construit selon
les plans de E.-E. Taché en 1888,
il suscite l'admiration avec ses
détails de style Château. Devant
le Manège, la place George-V
étend sa pelouse jusqu'à la
Grande Allée.

Le monument Charles de
Gaulle est dévoilé en
1997 au cours du
Général-De Montcalm.
Accueilli chaleureuse-
ment par la population
québécoise en 1967,
ce président de la
France a contribué à
l'épanouissement des
relations franco-
québécoises.

Le parc des Champs-de-Bataille fut le théâtre de la décisive bataille de 1759 entre les Français et les Anglais. Il est aussi appelé les plaines d'Abraham en référence à Abraham Martin, un propriétaire terrien sur les hauteurs de la ville vers 1646. Arbres, fleurs et pelouses recouvrent magnifiquement un plateau vallonné de plus de cent hectares. La Maison de la découverte des plaines d'Abraham accueille et renseigne les visiteurs sur l'ensemble des divertissements et des services offerts en toutes saisons. Terminées en 1812, les tours Martello sont des ouvrages avancés de défense. En haut, la Tour n° 1 au petit matin.

« Comme nous approchions de Québec, il y avait six pieds de neige ; des hauteurs d'Abraham, l'œil portait comme sur un immense lac de neige ; toutes les irrégularités mineures de terrain, clôtures, bornes, bois mort, avaient disparu. »

Adam Hodgson, 1824

Le jardin Jeanne-d'Arc se déploie autour de la statue équestre
de l'héroïne française, une œuvre de la sculpteure new-yorkaise
Anne Hyett Huntingdon. La symphonie de couleurs et le
délicat parfum de ses 150 espèces de fleurs en font l'endroit
par excellence pour flâner, lire et surtout conter fleurette.

Sensible au bien-être des chevaux, un
groupe de femmes a financé cet abreuvoir
par souscription publique en 1898.

Le Musée du Québec

Situé sur les plaines d'Abraham, le Musée du Québec est un musée d'art national inauguré en 1933. Un monumental escalier, un portique ionique, un fronton sculpté et de lourdes portes de bronze ornent l'imposante façade de style néoclassique du pavillon Gérard-Morisset.

L'ancienne prison du district de Québec (1861–1971) est intégrée au Musée en 1990 et est nommée pavillon Charles-Baillairgé en l'honneur de son architecte. Quelques cachots témoignent encore de la vie carcérale. Les deux pavillons sont reliés par le Grand Hall, tout de verre et de granit.

Le Musée du Québec conserve plus de 22 000 œuvres comprenant la plus importante collection d'art québécois du XVIIᵉ siècle à nos jours. Il présente aussi des expositions d'envergure internationale consacrées à un artiste, à un thème ou à une époque.

Photo Patrick Altman, Exposition Dallaire, Musée du Québec, 1999

La maison Krieghoff, construite en 1848, doit son nom au peintre Cornelius Krieghoff qui y a résidé. Ce grand artiste a recréé de vivantes scènes campagnardes québécoises.

Face à la maison Krieghoff sur la Grande Allée, la maison Henry-Stuart bâtie en 1849 est un cottage de style colonial entouré d'un jardin naturaliste anglais en vogue au XIXᵉ siècle.

À l'intérieur, le mobilier et la décoration d'origine ont été conservés soigneusement pour accueillir les visiteurs à l'heure du thé. La propriété appartient au Conseil des monuments et sites du Québec, un organisme dédié à la protection et à la mise en valeur du patrimoine bâti.

Voisin de la colline parlementaire, le Centre des congrès, inauguré en 1996, s'insère dans un environnement hôtelier et commercial. La verrière de son grand hall symbolise son ouverture sur le monde. Le Quatuor d'airain, éléments d'une sculpture de Lucienne Cornet.

Le faubourg Saint-Jean-Baptiste

Le faubourg Saint-Jean-Baptiste se développe au XIXᵉ siècle, à l'ouest des murs du Vieux-Québec. De nombreux artisans des métiers de la construction s'y établissent. Œuvre de J.-F. Peachy, l'église Saint-Jean-Baptiste et son haut clocher sont érigés en 1884. Dans ce quartier, certaines côtes sont si abruptes que, dans le cas de la rue de la Claire-Fontaine, des escaliers à paliers servent de trottoirs .

L'ancienne église anglicane St. Matthew, dont l'architecture néo-gothique est inspirée des églises de campagne de l'Angleterre du Moyen Âge, est construite en 1848. La tour est ajoutée en 1882. Elle abrite aujourd'hui une bibliothèque publique et elle s'entoure d'un parc aménagé dans son ancien cimetière.

La côte d'Abraham, principal lien entre le faubourg et la Basse-Ville, était au XVIIᵉ siècle un sentier emprunté par Abraham Martin pour aller abreuver ses bêtes à la rivière Saint-Charles. Les maisons de la côte sont occupées par le complexe Méduse, un centre de création et de diffusion des arts visuels, inauguré en 1994.

En Basse-Ville

Le jardin public de la place Saint-Roch rassemble des essences et des variétés de fleurs et d'arbustes qui traduisent le caractère nordique de la ville. Intégrée dans la paroi rocheuse au pied de la côte d'Abraham, une vigoureuse cascade se déverse dans un bassin.

La gare du Palais, inaugurée en 1916, est une œuvre de style Château de l'architecte Henry Edward Prindle. Devant la gare, la fontaine Éclatement II du sculpteur Charles Daudelin.

Les maraîchers et les horticulteurs de la grande région viennent offrir des produits frais de leurs fermes au marché du Vieux-Port.

Dans le parc de l'Amérique-Latine, la fière statue équestre de Simon Bolivar a été donnée en 1983 par le Venezuela à l'occasion du 200ᵉ anniversaire de la naissance du Libérateur de l'Amérique latine.

L'Îlot des Palais est un site historique d'intérêt national, le premier lieu du pouvoir politique en Nouvelle-France. Les intendants représentent le roi de France y résident dans deux palais construits successivement. À l'aide des vestiges archéologiques du palais de 1685 et des voûtes du palais de 1716, des guides retracent l'histoire particulière de l'îlot. En 1668, l'intendant Jean Talon y établit la première brasserie en Amérique. Au milieu du XIXᵉ siècle, une grande brasserie s'y implante pour plus de 100 ans.

Illustration du palais de 1685
par Jean-Michel Girard

La tradition brassicole se poursuit à l'Inox, un Économusée de la bière rue Saint-André.

L'étroite et pittoresque rue Sous-le-Cap longe la falaise en contre-bas de la rue des Remparts. Des balcons fleuris, des passerelles et des escaliers s'entrecroisent entre les maisons et les remises adossées à la falaise.

La place de la FAO est inaugurée en 1995. Elle marque le 50ᵉ anniversaire de la fondation à Québec de l'Organisation des Nations Unies pour l'alimentation et l'agriculture. Appelée La Vivrière, la figure de proue d'un navire imaginaire s'élance hors des flots, les bras chargés de fruits et de légumes.

Le Musée de la civilisation présente simultanément plus d'une dizaine d'expositions thématiques concernant diverses facettes de la vie des nations amérindiennes, de la société québécoise et de l'aventure humaine.

La rue Saint-Paul, autrefois une rue de marchands grossistes, est aujourd'hui la rue par excellence des antiquaires. En haut de la falaise, les maisons de la rue des Remparts et le Séminaire.

Une ancienne caserne de pompiers, construite en 1912, abrite le centre de création des arts de la scène Ex Machina, dirigé par le célèbre dramaturge Robert Lepage.

Le Vieux-Port

Le Vieux-Port est un grand secteur situé au confluent de la rivière Saint-Charles et du fleuve Saint-Laurent. Dans les années 1880, la construction d'une jetée dans l'estuaire de la rivière Saint-Charles forme un bassin pour abriter les petits bateaux et les goélettes. Il est nommé bassin Louise en l'honneur de la fille de la reine Victoria. Aujourd'hui, les quais du bassin accueillent principalement des bateaux de plaisance. Le Vieux-Port comprend aussi un centre d'interprétation, un marché, l'École navale avec le Musée naval de Québec, l'édifice des Douanes, la promenade de la Pointe-à-Carcy et l'Agora, un amphithéâtre en plein air. Des promenades relient l'ensemble du secteur.

Le Centre d'interprétation du Vieux-Port rappelle l'importance du rôle mondial du port de Québec au XIXᵉ siècle et l'histoire des chantiers navals très actifs à cette époque.

Découvrir les environs

À Sainte-Foy, l'Aquarium du Québec, ouvert en 1959, surprend le visiteur avec plus de 3 500 spécimens d'eau douce et d'eau salée. Les phoques communs pirouettent en beauté devant les spectateurs. Des sentiers pédestres et des aires de pique-nique jouxtent l'aquarium.

Photo Aquarium du Québec

À Charlesbourg, le Jardin zoologique du Québec, inauguré en 1933, abrite 55 espèces de mammifères et 160 espèces d'oiseaux. L'Harfang des neiges est l'emblème aviaire du jardin et du Québec.

À Sillery, le domaine Cataraqui ouvre au public son magnifique jardin et sa somptueuse villa construite en 1851. Des expositions d'art et des concerts y sont présentés.

Dans le quartier Limoilou, le domaine Maizerets est un parc à caractère récréatif où toute la famille participe aux différentes activités de plein air et de loisirs culturels. Le domaine de 27 hectares s'étend autour de la résidence estivale érigée par les prêtres du Séminaire en 1777 et comprend un arboretum et un jardin d'eau.

Sur le campus de l'Université Laval à Sainte-Foy, le jardin Roger-Van den Hende regroupe une fascinante collection de plantes indigènes et étrangères. Le jardin de six hectares inclut un arboretum. L'Iris versicolor L. est l'emblème floral du jardin et du Québec.

Photo Roll Grenier

Lieu de l'ancienne résidence des lieutenants-gouverneurs du Québec de 1870 à 1966, le Bois-de-Coulonge, vaste parc public à demi boisé, situé sur un promontoire, réserve des points de vue fascinants. Derrière les tulipes, un superbe orme pleureur plus que centenaire.

À l'est de Québec, à la rencontre des montagnes Laurentides et du fleuve Saint-Laurent, une nature exubérante et des villages pittoresques font le charme inoubliable de la côte de Beaupré et de l'île d'Orléans.

Au Parc de la Chute-Montmorency, des promenades, des belvédères, un téléphérique et un pont suspendu permettent d'admirer l'impressionnante chute haute de 83 mètres. De belles églises et de nombreuses maisons ancestrales enracinées dans un paysage champêtre donnent à l'île d'Or-

léans une atmosphère de quiétude et d'enchantement. Sa devise J'accueille et je nourris proclame la générosité de ses habitants et de leur terre. La Réserve nationale de faune du cap Tourmente est un habitat essentiel pour la Grande Oie des neiges en migration. Des sentiers sillonnent la batture pour faciliter l'observation de différentes espèces d'oiseaux.

Depuis le XVIIe siècle, Sainte-Anne-de-Beaupré est un lieu de pèlerinage dédié à la grand-mère de Jésus. La basilique est remarquable par les détails de son ornementation symbolique. Chaque année, plus d'un million de personnes visitent le sanctuaire.

Le mont Sainte-Anne, le plus important centre de ski de l'Est du Québec, offre un choix d'activités de plein air en toutes saisons. Le pont McNicoll surplombe l'impressionnant Canyon Sainte-Anne. Sa traversée promet des souvenirs impressionnants. 63

Photo Canyon Sainte-Anne

« Le prodigieux paysage de
Québec. À la pointe du cap
Diamant devant l'immense trouée
du Saint-Laurent, air, lumière
et eaux se confondent dans
des proportions infinies.
Pour la première fois dans ce
continent l'impression réelle de la
beauté et de la vraie grandeur. »

Albert Camus, écrivain, 1946

NOUS REMERCIONS :

*Patrick Altman, Marc Brazeau, Charaf El Ghernati,
Denise Émond, Monique Émond, Réal Filion,
France Gagnon Pratte, Pierre Germain, Pierrette
Germain, Roll Grenier, Lise Huard, Pierre Lahoud,
Geneviève Marcoux, Pierre-Yves Marcoux, Jacqueline
Paquet, Monique Plamondon, Jacqueline René de
Cotret, Jacques Robert, Francine Tessier*

Graphisme : Norman Dupuis inc.
Révision des textes : Communication Michel Lavallée
ISBN 2-922627-04-7
Dépôt légal - Bibliothèque nationale du Québec, 2000
Dépôt légal - Bibliothèque nationale du Canada, 2000
Québec, trésor d'Amérique © 2000

LES ÉDITIONS DU CHIEN ROUGE
320, rue Saint-Joseph Est, Bureau 047
Québec QC G1K 8G5
CANADA

Téléphone : 418 649-0080
Télécopieur : 418 522-8965
Courriel : edchienrouge@hotmail.com

Chez le même éditeur :
QUÉBEC, a North American Treasure
QUÉBEC, Tesoro de América
QUÉBEC, Kleinod Nordamerikas

L'île d'Orléans, un enchantement
Island of Orléans, Enchanted Isle

Sainte-Anne-de-Beaupré, un rayonnement
Saint Anne de Beaupré, an Inspiration

*Le Vieux-Québec tel que les visiteurs le découvrent
de l'Observatoire de la capitale. Sur l'autre rive du
fleuve Saint-Laurent, la ville de Lévis. Au loin,
l'île d'Orléans. L'Observatoire, situé au 31ᵉ étage de
l'édifice Marie-Guyart sur la colline parlementaire,
offre à 221 mètres d'altitude, un saisissant panorama de 360° sur la ville et sa grande région.*